Spanish
j

Vazquez-Vigo, Carmen
  Un Monstruo en el Armario.

Un monstruo en el armario

Carmen Vázquez-Vigo

ediciones SM Joaquín Turina 39   28044 Madrid

Colección dirigida por **Marinella Terzi**

Primera edición: febrero 1991
Segunda edición: octubre 1991
Tercera edición: abril 1992
Cuarta edición (primera en Serie Oro): julio 1992
Quinta edición (segunda en Serie Oro): julio 1993

Ilustraciones: *Gustavo Otero*

© Carmen Vázquez-Vigo, 1991
  Ediciones SM
  Joaquín Turina, 39 - 28044 Madrid

Comercializa: CESMA, SA - Aguacate, 25 - 28044 Madrid

ISBN: 84-348-3367-0
Depósito legal: M-21313-1993
Fotocomposición: Grafilia, SL
Impreso en España/Printed in Spain
Imprenta SM - Joaquín Turina, 39 - 28044 Madrid

A María,
recién llegada a este mundo,
con amor.

1 Abuelos

JORGE miraba fascinado las manos que plegaban la hoja de papel amarillo. Le parecía imposible que los dedos gruesos y chatos de Jaime, el abuelo de su amigo Alfonso, pudieran moverse con tanta agilidad.

—El primer doblez, así... —iba diciendo a medida que lo hacía—, marcándolo bien con la uña. Luego se da la vuelta y se dobla en cuatro... Ahora se unen las puntas y...

Jorge perdía el hilo de la explicación. Y eso que le hubiera gustado aprender a hacer pajaritas de papel.

—Es muy fácil —dijo Jaime, dejando la figura ligera y graciosa sobre la mesa.

Pero ni su nieto había aprendido. Tampoco las hermanas Chiuchí, vecinas y compañeras de colegio.

Los chicos las llamaban así porque tenían la voz aguda y alegre de los gorriones. En realidad, se llamaban Blanca y Alba. Dos nombres que no les pegaban mucho porque eran morenas, de ojos y pelo negrísimos.

El abuelo se echó atrás en la silla y se pasó un pañuelo por la sudorosa papada. En el mes de julio, ya se sabe...

—¿Ésta no se mueve? —preguntó Alba, recordando una rana que Jaime había hecho en otra ocasión y que saltaba al apretar el cruce de dos dobleces.

—Sí, también.

El abuelo imprimió un movimiento de vaivén a la cola, larga y puntiaguda, e inmediatamente las alas empezaron a subir y bajar, como si la pajarita se dispusiera a emprender el vuelo.

Blanca, que era sólo un año mayor que su hermana, chilló:

—¡Me gusta! ¡Para mí!

Los demás protestaron:

—¡Qué graciosa!

—¿Por qué para ti?

—A mí también me gusta.

Jaime los hizo callar diciendo:

—Al que le toque.

Empezó a entonar una cantinela y, siguiendo su ritmo, los señalaba por turno.

La última sílaba coincidió con el pecho de Jorge.

—Es tuya.

El chico miró triunfante a sus amigos y cogió la pajarita. Intentó torpemente hacerla funcionar. Apenas consiguió que moviera, y mal, una de las alas.

—Cuidado —advirtió Jaime—. Así la vas a desarmar. Debes sujetarla con la mano izquierda y tirar con la derecha, no muy fuerte.

Jorge probó de nuevo y le salió bastante bien.

Alfonso, que había esperado secretamente una trampa de Jaime en su favor, dijo antes de despedirse:

—A mí me haces otra para mañana, ¿eh? O mejor dos, de distintos colores.

Podía presumir de abuelo, y presumía.

Las hermanas Chiuchí también hubieran querido pedir, pero no se atrevieron. Quizá otro día les tocara una jirafa o un elefante. Jaime sabía hacer todo un zoológico.

Echaron a andar camino de sus casas. Estaban cerca unas de otras, en un barrio alejado del centro y bastante bonito.

Tenía una plaza con jardinillos y un puesto de helados; un parque con césped para tumbarse, una familia de pavos reales, una zona de tierra apisonada para montar en bicicleta y un estanque donde nadaba una docena de patos.

Levantando la cabeza se podía ver ropa secándose en balcones y ventanas.

Parece ser que a los encargados de hacer las casas se les había olvidado poner tendederos dentro; pero los colorines de camisas, manteles y vestidos, flameando al viento, resultaban casi tan alegres como las cadenetas y los farolillos de las verbenas.

Los chicos tuvieron que apartarse deprisa cuando una señora tiró un cubo de agua en la acera.

—A ver si así nos refrescamos un poco —dijo sonriendo.

El agua se escapó por las hendiduras de las baldosas y corría a lo largo del bordillo.

Alfonso empezó a caminar apoyando un pie en la acera y otro abajo, precisamente en el pequeño arroyo que acababa de formarse. Como es natural, esa zapatilla se empapó al primer paso.

Sus compañeros no se sorprendieron. Es-

taban acostumbrados a las cosas que hacía Alfonso para llamar la atención.

Una vez aseguró que era capaz de quedarse diez minutos sin respirar apretándose la nariz con una pinza de la ropa. Y aunque Blanca, que era algo morbosa, lo animó a hacerlo, los otros dos se lo impidieron, no fuera a fallar el experimento.

Jorge caminaba con la pajarita posada en las palmas de sus manos juntas, como si hiciera una ofrenda a una diosa desconocida.

Alfonso le dijo con tono de guasa:

—¿Vas a ir así todo el camino?

—Si la meto en el bolsillo, se aplasta.

Tenía razón.

Siguieron un rato sin hablar, escuchando el plas-plas de la zapatilla de Alfonso en el agua.

Al rato, tal vez por no ser menos que él, Alba dijo:

—Nuestros abuelos también saben hacer cosas bonitas.

Abuelos. Había dicho abuelos, en plural.

—¿Tenéis más de uno? —preguntó Jorge, admirado.

—Tenemos dos. Ramiro, el que vive en casa..., ya lo conoces.

12

—Sí.

—Bueno, pues hace unas cometas grandísimas y nos ha enseñado a remontarlas.

—El otro se llama Alejandro y mete barcos en botellas —dijo Blanca.

Eso ya era demasiado.

—¿Barcos en botellas? —repitió Jorge, incrédulo.

—Los hace con palillos y cuerdas muy finas. Después, para poder meterlos por el cuello de la botella, los dobla bien, muy apretados, como cuando cierras un paraguas. Luego, los vuelve a estirar con unas pinzas muy largas. Quedan preciosos, con todas las velas extendidas.

—Y se los compran —apuntó Alba.

Vaya suerte la de sus amigos, se dijo Jorge. En cambio, él...

Las chicas ya estaban frente a su portal. Casi lo ocultaba una adelfa que de repente había estallado en un remolino de flores rosadas, de perfume tan fuerte que mareaba un poco.

—¿Vamos mañana al parque? —preguntó Alba volviéndose hacia los chicos.

—Sí. Y merendamos.

—Pues a ver qué lleváis vosotros —dijo Blanca para que no hubiera confusiones.

El siguiente en llegar a su casa fue Alfonso. Tenía una zapatilla blanca y seca, y otra negra y chorreando.

La sacudió en el aire, para que no dejara huellas en la escalera, y dijo mirando las manos de Jorge:

—Ten cuidado, no se te vuele.

Jorge sonrió sin picarse. Alfonso era un buen amigo, aunque a veces le diera por pasarse de listo.

2 Fotografías

JORGE colocó la pajarita sobre la cómoda, frente al espejo. Así parecía que en vez de una fueran dos. Las dos amarillas, iguales, perfectas.

Cuando alguien las viera, él explicaría: «Son mecánicas. Pueden mover las alas como si fueran a volar. Y a lo mejor, cualquier día vuelan».

Sabía que no era verdad; pero muchas veces se ponía a pensar en cosas que le gustaban aunque supiera que nunca serían verdad. Por ejemplo, que él tenía un abuelo —con uno solo se conformaba— capaz de hacer algo que asombrara a sus amigos.

Naturalmente, debía ser algo muy especial para poder compararse con Jaime, Ramiro o Alejandro: fabricar una máquina para viajar al pasado o al futuro; o una fuente donde manaran, simultáneamente, batidos de chocolate, vainilla y fresa.

Aunque también se conformaría con que su abuelo jugara decentemente al fútbol y metiera un gol de vez en cuando. Claro que eso, por muy bien conservado que estuviera...

Lo que había comprobado es que los abuelos tienen muchas ventajas. Suelen ser más pacientes que los padres para contestar preguntas y sueltan más fácilmente una moneda cuando se presenta la necesidad.

Sí, los abuelos están muy bien inventados. Y no tener ninguno, como le pasaba a él, era el colmo de la mala pata.

Sin embargo, no estaba seguro de no tenerlo. Más bien creía que sí. Uno al menos.

Nunca le hablaban de él. Solamente en cierta ocasión, tiempo atrás, cuando miraba las fotografías que Margarita, su madre, guardaba en una caja de zapatos.

Ella siempre decía:

—Tengo que comprar un álbum y ponerlas en orden.

Pero ese día nunca llegaba. Estaba muy ocupada con sus traducciones, la casa y todo lo demás.

—¿Ésta quién es? —había preguntado Jorge sosteniendo una foto tamaño postal.

Margarita, que estaba doblando la ropa que acababa de recoger de la cuerda, echó un vistazo.

—Tía Emilia.

—¡No!

—¿Cómo que no?

—Aquí está flaquita —dijo Jorge—. Y ahora parece un globo.

La madre dejó una funda sobre la mesa y se echó a reír, recordando los esfuerzos inútiles de su cuñada por adelgazar y su renovada fe en cada nuevo tratamiento que le aconsejaban.

—¡Como te oiga...!

La foto volvió a la caja de zapatos y otra ocupó su lugar en las manos del chico.

—Compañeras de colegio, un día que fuimos de excursión a la sierra —dijo Margarita.

—¿Y tú cuál eres?

Ella fingió enfurruñarse.

—¿De verdad no me conoces?

—Es que eras muy pequeña...

Un dedo largo y fino, terminado en una uña brillante, señaló:

—Aquí. La que lleva un ramo de tomillo.

Jorge la observó atentamente, para concluir después:

—Ahora eres más guapa.

Pasaron primos, vecinos, amigos. Julio, el padre de Jorge, con uniforme de soldado y cara de mal humor. También los padres de Julio, que habían muerto en un accidente cuando él era un muchacho, y la madre de Margarita, una mujer pálida y hermosa.

—Se la hicieron cuando ya estaba enferma —dijo ella en voz muy baja.

En otra fotografía aparecía un hombre alto, fuerte, de pelo abundante. También sus cejas lo eran, hasta el punto de que casi ocultaban sus ojos rasgados y profundos. Tenía los pómulos altos, muy marcados, y una sonrisa que limitaban dos surcos en forma de paréntesis.

Estaba frente a una pared cubierta de hiedra y llevaba la chaqueta descuidadamente echada sobre un hombro.

—¿Y éste? —preguntó Jorge.

Margarita dejó la última sábana doblada sobre las demás, formando una pila, y rodeó con el brazo los hombros de su hijo.

—Es Antonio, mi padre.

Y se volvió de pronto, como si acabara de recordar que tenía algo al fuego.

Jorge hubiera querido preguntarle muchas cosas. Dónde estaba su abuelo. Si vivía o no. Por qué no le hablaban nunca de él. En qué trabajaba. Qué le gustaba hacer.

No pudo. Margarita ya estaba en la cocina preparando la cena. Al mismo tiempo escuchaba su emisora preferida, que sólo ponía música clásica. A todo volumen. Como si así quisiera levantar una barrera entre ella y la curiosidad de su hijo.

EL DÍA EN QUE LLEGÓ con la pajarita a casa, al chico le vino todo aquello a la memoria. Más que nunca, sintió deseos de descubrir la verdad acerca de su misterioso abuelo.

Para empezar, buscó su fotografía en la caja de zapatos. Todavía, a pesar del tiempo transcurrido, no había llegado el momento de ordenarlas en el álbum.

Plantado ante el espejo de la cómoda, la acercó a su cara, de modo que la suya y la de su abuelo se reflejaran en él. Pretendía compararlas para descubrir el parecido que sin duda existiría entre las dos.

Observó la forma de ambas barbillas, narices, mandíbulas. No tenían nada que ver. Tampoco el color del pelo o los ojos. El abuelo los tenía oscuros, y Jorge, claros.

Le dio rabia pensar que ese hombre podría no ser su abuelo. Que se lo hubieran dicho porque sí, como tantas cosas que se les contestan a los chicos cuando se ponen pesados con sus preguntas.

Se alejó con intención de devolver la foto a la caja, pero enseguida se le ocurrió una idea.

De nuevo frente al espejo, con la cara del hombre junto a la suya, sonrió. Sonrió con ganas, pensando que acababa de tocarle una bici en una rifa o que lo habían invitado a dar la vuelta al mundo.

Entonces, sí. Junto a la boca se le dibujaron dos líneas curvas, menos marcadas que las de su abuelo, pero exactamente de la misma forma. Dos sonrisas idénticas.

Lo hizo de nuevo, esta vez no para comprobar nada. Sonreía al hombre que lo miraba desde el rectángulo amarillento estropeado en los bordes, como para comunicarle: «Te he reconocido y me caes muy bien».

Esa noche se acostó con una idea fija: conseguir las señas del abuelo y escribirle pidiendo que viniera. A lo mejor sabía hacer pajaritas iguales a esa presumida que no dejaba de mirarse al espejo.

3 Patos

CUANDO Jorge llegó junto al estanque de los patos, el lugar del parque donde siempre se encontraban, Alfonso ya estaba allí.

Inclinado sobre la barandilla, intentaba que los animales aceptaran el pan que les ofrecía.

Ni caso. Pasaban nadando, indiferentes, o se reunían en el islote central, construido de cemento y con una caseta encima.

—A lo mejor es que no tienen hambre —aventuró Jorge.

Alfonso, como si acabara de escribir una enciclopedia en siete tomos sobre vida y costumbres de esos animales, sentenció:

—Los patos siempre tienen hambre.

—Entonces será que te han cogido manía.

Despechado ante esa posibilidad, Alfonso arrojó el trozo de pan contra un pato de cuello verde que estaba muy quieto junto a la caseta. El proyectil pasó rozándolo.

Para que el fallo no aumentara su disgusto, porque presumía de buena puntería, Jorge dijo:

—Por un pelo.

—Está demasiado lejos —se justificó Alfonso.

Volvió a intentarlo inclinándose todavía más sobre la barandilla, con riesgo de pegarse un chapuzón en el agua no muy limpia.

Esta vez consiguió que el proyectil diera en el blanco. El pato, sobresaltado, emitió un ruido como de bocina de coche antiguo y se alejó nadando, en previsión, seguramente, de otros posibles ataques.

Los dos muchachos se sentaron un poco más allá, sobre el césped.

Alfonso preguntó:

—¿Tienes hambre?

—Pse.

—Traigo un plátano.

Ante la mirada de extrañeza de su amigo, puntualizó:

—Pero es bastante grande.

Jorge dejó a un lado un envoltorio de papel de periódico.

—Yo traigo galletas de coco y tres quesitos en porciones.

Y de repente se le ocurrió pensar si pegaría una cosa con otra.

—¿Tres? —refunfuñó Alfonso—. Contando a las Chiuchí somos cuatro.

—¿Y qué? Lo tuyo es peor, que traes sólo un plátano.

—Ya te he dicho que es muy grande.

—Has dicho *bastante* grande. No *muy* grande.

Se quedaron callados, de mal genio. Especialmente porque estaban hambrientos y debían esperar a sus amigas, que a esas horas iban a clase de danza y todavía tardarían un rato.

El caso es que, en ese momento al menos, a Jorge no le convenía que Alfonso estuviera enfadado. Tenía que preguntarle algo importante.

—Oye... —dijo en tono amigable—. ¿Me harías un favor?

—Depende —dijo el otro, dándoselas de duro—. ¿Qué favor?

—Corregirme una carta.

Alfonso dirigía el periódico del colegio y era el que sacaba mejores notas en redacción.

—¿Le vas a escribir a tu novia?

Jorge, medio en serio, medio en broma, le lanzó un puñetazo y los dos rodaron luchando sobre la hierba, hasta que Alfonso dijo:

—Bueno, está bien. ¿Para quién es la carta?

Jorge se pasó los dedos abiertos por el pelo.

—Todavía para nadie. Tengo que escribirla.

—Pero será para alguien, ¿no?

Desviando la mirada, Jorge dijo:

—Claro. Para mi abuelo.

Alfonso enarcó las cejas.

—Yo creí que no tenías.

—Pero sí tengo. Se llama Antonio.

—¿Y dónde está?

—No sé.

—Si no lo sabes, ¿cómo...?

—Pienso conseguir las señas. Cuando la escriba, te la leo. ¿Vale?

—Vale.

—Pero no se lo digas a nadie —pidió Jorge—. Es un secreto.

Enseguida anunció, al oír unas vocecitas pajariles:

—Ahí vienen las Chiuchí.

Y pensó que alguna vez, sin darse cuenta, las iba a llamar así delante de ellas y no les gustaría ni pizca.

4 Momias

LAS chicas venían discutiendo porque, según explicó Alba, su hermana sostenía que las películas se veían mejor en el cine que en la televisión.

Se sentaron también en el suelo, formando un corro, y pusieron en el centro una bolsa de plástico que abultaba bastante.

—Pues claro que es mejor —dijo Blanca retomando su argumento—. En el cine sale todo grande y nadie te manda a hacer recados mientras ves la película.

—En casa tampoco —contestó Alba.

—¿Ah, no? Tienes mala memoria. Papá se pone: «Anda, guapa, dame un vaso de agua bien fresquita». Y el abuelo: «¿Me quieres traer las gafas de cerca, que están en mi mesilla?».

Alba no se dejaba convencer.

—Pero en casa, si te apetece, te puedes quitar los zapatos y tumbarte en el sofá. Es mucho más cómodo.

Los chicos no opinaban. Estaban deseando que acabara la discusión para ponerse a merendar.

—Yo creo —dijo Alfonso, como si hubiera meditado detenidamente el asunto— que el cine está bien...

—Y la televisión también —concluyó Jorge.

Ante este sabio razonamiento, las chicas, que estaban igualmente hambrientas, sacaron de la bolsa media docena de empanadillas muy apetitosas.

—¿Las ha hecho tu madre? —preguntó Alfonso alargando la mano.

—Las he hecho yo —dijo Alba.

—¿De qué son?

—De atún.

Jorge ya le había hincado el diente a una. Con los dos carrillos hinchados como un hámster, comentó:

—Pues yo no lo encuentro.

Alba vacilaba.

—Bueno... La revista donde venía la receta decía eso, pero...

Alfonso saboreaba su segunda empanadilla. Había hecho un rápido cálculo comprobando que, si no se daba prisa, a dos no tocaban todos. Menos mal que las Chiuchí no eran de mucho comer.

—Pero ¿qué?

—Se me ha olvidado poner el atún.

Su hermana rió.

—¡Mira que eres despistada!

—Es igual —dijo Jorge—. Dentro tienen algo que está buenísimo.

—Un refrito de cebolla y tomate —explicó Alba, satisfecha de que el olvido no fuera tan grave.

Luego dieron cuenta de las galletas de coco y del trozo de queso que les correspondió y las chicas, a pesar de las esperanzas de Alfonso, no renunciaron a su parte de plátano. Y eso que él, después de pelarlo, había dicho:

—A lo mejor no tenéis más hambre...

Ante el «síí...» que salió de boca de sus amigas, lo colocó sobre la bolsa de plástico ya vacía, sacó del bolsillo un cortaplumas y cortó el plátano en cuatro partes calculadas a ojo.

—No vale —chilló Jorge—. Dos son más pequeñas.

Alfonso se disculpó:

—No lo he hecho a propósito.

—Pues para vosotros —dijo Blanca, y cada una de las hermanas cogió un trozo de los grandes.

Mientras hacían una plácida digestión y un pavo real de vibrantes colores venía a picotear las migas, Blanca recordó el tema de la discusión anterior.

—¿A ti no te gusta más ver las películas en el cine, Jorge?

—Si son de miedo, sí.

—¡Anda! ¿Y por qué? —se extrañó Alba.

—Porque ves mejor al monstruo y así te da más miedo, que es lo bueno.

—A mí la película que me dio más miedo fue una de momias —dijo Blanca—. ¡Lo pasé bárbaro!

Alfonso prestó atención.

—¿De muchas momias?

—No, de una sola. ¡Pero no veas cómo era! Se la encuentra un explorador en una tumba que llevaba millones de años cerrada.

—No me lo creo —dijo el chico con suficiencia—. No hay tumbas que lleven millones de años cerradas. Hasta las de los faraones fueron descubiertas y saqueadas por los bandidos.

—Pero esos bandidos se murieron todos,

uno detrás de otro, por la maldición que les echaron los faraones.

—¿Cómo les iban a echar maldiciones si los faraones estaban muertos? —preguntó Alba.

Su hermana pensó un momento y luego dio la respuesta que le parecía más lógica:

—Los faraones, no; las momias de los faraones.

—¡Imposible! —exclamó Jorge.

—¿Por qué?

—Porque las momias tampoco hablan.

—La que yo vi en la película hablaba. Y bien que hablaba.

—¿En inglés?

—No, estaba doblada. Y no me interrumpas.

Alfonso también dudaba.

—¿Hablaba? ¿Con todo ese vendaje que les ponen?

—Sí.

—¡Pero si hasta la boca la tienen tapada!

—Es que ella...

—¿Quién? —preguntó Alba, distraída con los movimientos del pavo real.

—La momia, ¿quién va a ser? —contestó su hermana—. Se quitó la venda con la mano y...

31

—Más que mano, sería un manojo de huesos —comentó Jorge.

—¡Deja de interrumpir! Y dijo...: «¡Morirás, oh extranjero, que turbas la paz de mi morada!».

—¿La momia era morada? —preguntó su hermana.

—¡Que no te enteras! —se quejó Blanca.

Alfonso se creyó obligado a demostrar sus conocimientos del idioma.

—Morada, en este caso, significa casa o habitación.

—¡Ah!

Cuando el pavo real se dio media vuelta para alejarse, Alba confesó:

—A mí no me gustan las películas de miedo porque después sueño.

—Mejor —dijo su hermana—. Así es como si vieras la película dos veces y por el mismo precio.

Era una gran verdad; pero como el tema ya no daba más de sí, tiraron a una papelera los restos de la merienda y se pusieron junto al estanque, en fila, a ver quién llegaba primero al quiosco de las bicicletas.

En realidad, ya lo sabían: Jorge o Blanca,

que a pesar de su voz finita tenía unas piernas muy potentes.

Antes de echar a correr, mientras Alba decía: «A la una, a las dos y...», Alfonso lanzó una mirada rencorosa al pato de cuello verde, que se la devolvió con un único ojo redondo y cristalino.

5 Cabezotas

JORGE tomaba su desayuno más despacio que de costumbre. Esperaba que Julio se marchara a la oficina para quedarse solo con Margarita y hablarle del asunto que le interesaba.

Últimamente, la idea de conocer a su abuelo se había convertido en obsesión. La noche anterior, pensando en eso, estuvo horas dando vueltas en la cama sin dormirse.

Julio se puso la chaqueta, le dio un beso, otro a su mujer, y salió lanzando un sonoro «hasta luego». Tenía una hermosa voz de barítono. Durante algún tiempo había cantado en un coro que hasta salió en televisión.

Margarita bebió el último sorbo de su taza. Al ver que Jorge apenas había mordido la tostada, le preguntó:

—¿No tienes apetito?

—Sí, pero la comida sienta mejor si se mastica bien.

—¿Cómo lo sabes?

—Lo han dicho en el colegio: cuarenta veces cada bocado.

—¡Vaya! Necesitarás mucho tiempo.

—¿Y qué prisa hay? Quédate aquí conmigo hasta que termine y charlamos.

Ella obedeció, sospechando algo. Ese repentino interés de su hijo por la dietética le sonaba raro.

—¿Y de qué quieres hablar?

El chico tragó con dificultad, a pesar de que el pan, triturado tan a conciencia, no necesitaba ningún empuje especial para proseguir su camino.

—De... de nada en particular.

—¿De veras? —preguntó Margarita sin acabárselo de creer.

—Bueno..., me gustaría saber...

Se detuvo para dar otro mordisco a la tostada.

—¿Saber qué?

Hubo que esperar a que terminara otro largo proceso masticatorio.

—Las... las señas del abuelo Antonio.

—¿Para qué?

—Para escribirle.

Margarita se llevó a la cocina su taza vacía.

Jorge volvió a comprobar, por si alguna duda le quedaba, que su madre no quería hablar de ese tema.

Sin embargo, él no estaba dispuesto a abandonarlo. Después de todo, se trataba de su único abuelo. Tenía derecho a conocerlo o, al menos, a tener noticias suyas.

La madre regresaba, seria. Miró la tostada en la mano del chico. Aún le quedaba la mitad.

—A este paso se te va a juntar el desayuno con la cena.

—Puede —respondió él en un tono ligeramente desafiante—; pero estaré más sano. ¿Me vas a dar esas señas?

Margarita se sentó, tomó una miga de pan y, observándola fijamente, se puso a hacer una bolita.

—Ni siquiera sé por dónde andan —dijo, evasiva.

—Las buscas, ¿eh?

Ella seguía mirando la bolita con mucha atención, como si pudiera ofrecerle la imagen de lo que iba a suceder en el futuro.

—Hace tanto tiempo que escribió por última vez —dijo con voz inexpresiva—, que quizá ya no viva en el mismo sitio.

Jorge tragó antes de contar cuarenta. Tenía demasiada prisa por preguntar:

—¿Y tú no le contestaste entonces?

La miga de pan ya iba tomando un tono grisáceo.

—No.

—¿Por qué?

—Estaba... estaba disgustada con él.

Jorge no podía comprenderlo.

—Pero ¿por qué?

La madre se levantó, resuelta a no seguir hablando. Se llevó la cafetera a la cocina y abrió al máximo los grifos.

Jorge no se dio por vencido. La siguió.

—No me has contestado a mí tampoco —dijo suavemente.

Ella suspiró. Con delantal y guantes de goma, lavaba la vajilla empleando una energía innecesaria.

—Poco antes de nacer tú, mi padre se volvió a casar.

—¿Y qué?

Del chorro caliente salía abundante vapor. Los cristales de la ventana que estaba sobre la pila se empañaron. Margarita los limpió con un ademán circular, casi violento.

—No sé... —miraba las ramas de un álamo que llegaban hasta allí—. Me acordaba de mi madre... Me dolía pensar que él acabaría por marcharse. Su mujer era argentina y siempre hablaba de que quería volver allá.

—¿Y eso fue lo que pasó?

—Sí. Luego llegó la carta...

—Y tú no le contestaste.

Ella se quitó el delantal y los guantes. A modo de disculpa, dijo:

—Tampoco mi padre volvió a escribir.

Jorge dedujo:

—Me parece que los dos sois bastante cabezotas.

Margarita sonrió.

—Puede ser.

El chico colocó en el armario el azucarero y el tarro de la mermelada.

—¿Te molesta que le escriba yo?

—No, pero como ha pasado tanto tiempo, no sé si...

Se detuvo, apretando los labios. Jorge comprendió su temor, el mismo que él sentía ahora: que devolvieran la carta porque el destinatario ya no viviera ni en ese sitio ni en ningún otro.

Dio un beso a su madre y fue a encerrarse en su cuarto. Allí estuvo muy atareado hasta la hora de comer.

Después, mientras Julio recogía la mesa y Margarita trabajaba en sus traducciones, llamó por teléfono a Alfonso.

—¿Qué haces?

—Ver la tele.

—Tengo que enseñarte algo.

—¿Ahora? —protestó Alfonso—. Están poniendo una de tiros. ¿No te habías enterado?

—Estaba haciendo algo importante. Quiero que me des tu opinión.

—Bueno, mañana.

—No, hoy. Me corre prisa.

Alfonso no pudo seguir negándose. Los amigos están para las ocasiones.

—En cuanto acabe la película —dijo—, donde siempre.

6 Carta

JORGE se echó al bolsillo media barra de pan duro y salió enseguida, aun sospechando que Alfonso tardaría más en llegar. Era difícil que se resignara a perderse el final de la emocionante película.

Mientras esperaba, echó el pan al agua. Todos los patos, menos el del cuello verde, se zambulleron para perseguir el mendrugo, que flotaba hinchándose por momentos.

Varios picos de color naranja acabaron con él rápidamente. Luego se dedicaron a descubrir en el agua otros bocados, si no tan suculentos, al menos apreciables: un insecto, una hojita tierna caída de los sauces vecinos, una pipa de girasol arrojada por un pequeño visitante aquella misma mañana y misteriosamente inadvertida hasta entonces.

Alfonso se acercaba con paso firme y dirección concreta.

—¿Dónde está el del cuello verde? —preguntó, sin mirar siquiera a su amigo.

—Allá, junto a la caseta.

De una bolsa que traía llena de pan seco, escogió un trocito de aspecto antediluviano. Cerró un ojo para afinar la puntería y lo disparó con fuerza.

—No seas bruto —dijo Jorge—. Está tan duro que puedes hacerle daño.

No tenía por qué preocuparse. El pato, con rápido reflejo, se zambulló y se alejó nadando.

Alfonso vació la bolsa en el estanque y se entretuvo mirando a los patos menos orgullosos, que engullían la comida sin hacerle ascos.

Luego se sentó con la espalda apoyada en la barandilla. Su amigo le tendió una hoja de papel llena de tachaduras y borrones y él la leyó en voz alta, deteniéndose cuando la letra era demasiado mala o no había punto donde era imprescindible:

Querido abuelo: Tú a lo mejor no sabes que existo, pero sí existo, soy tu nieto y me llamo Jorge. No me podían poner el nombre

*de mi madre porque no se conoce ningún
hombre que se llame Margarito.*

Alfonso interrumpió la lectura para preguntar:

—¿Por qué has puesto esta chorrada?

Jorge se ruborizó. Le pasaba a veces. No lo
podía evitar, aunque le sentara fatal.

Mirando al suelo, explicó:

—Era un chiste.

Alfonso hizo un gesto desdeñoso. No le veía
la gracia. Continuó leyendo:

*Claro que tú sabes de sobra cómo se llama
tu hija. Lo que seguramente no sabes es que
está triste porque no tiene noticias tuyas y
piensa que a lo mejor te has muerto. Si no
te has muerto, escribe. No hace falta que
cuentes muchas cosas. Basta que digas si
puedes venir. Todos mis amigos tienen abuelos, menos yo. Si vinieras, sería chupi.*

Alfonso interrumpió la lectura de nuevo:

—¿Dónde vive tu abuelo?

—En Buenos Aires.

—¿Y tú crees que allí saben lo que quiere
decir *chupi?*

—Todo el mundo lo sabe.

—Es un modismo —explicó Alfonso, doctoral—. Una palabra que no viene en el diccionario. Yo pondría otra. Por ejemplo...

Esperó la inspiración mirando al pato de cuello verde que se deslizaba, lejos, ajeno a toda preocupación lingüística.

—Por ejemplo..., estupendo..., maravilloso...

Ahora fue Jorge quien hizo un gesto despectivo.

—¿Por qué no ponemos *guay?*

—Porque estamos en las mismas: tampoco es una palabra de verdad.

—Bueno, pon lo que quieras —dijo Jorge, impaciente—. Lo que importa es el significado.

De la carta ya no quedaba casi nada:

Tu nieto, Jorge.

Alfonso la apoyó sobre la desteñida rodillera de su pantalón vaquero.

—Un poco fría, ¿no?

Jorge, abrazándose las piernas dobladas contra el pecho, contestó:

44

—Demasiado. Para lo que él se preocupa por mí...

—Entonces no le escribas.

—Es que quiero que venga. Pero sin que se note mucho, ¿comprendes?

—Más o menos... ¿Tienes un boli?

Jorge le tendió el mismo con que había escrito la carta. Su amigo tachó una hache aquí, puso otra allá, donde faltaba, y distribuyó comas y acentos a conciencia.

—Pásala en limpio —dijo devolviéndosela a Jorge—. Y a ver qué letra haces. Como escribas así el sobre, lo mismo te la mandan al polo norte.

Con ese temor, y por si acaso, Jorge puso las señas que su madre le dio en mayúsculas de imprenta. Tan grandes, que casi no le queda sitio para los sellos.

7 Sorpresa

LAS hermanas Chiuchí y Alfonso no se lo podían creer.

—¿A ti?

—¿Que te lo ha mandado a ti?

—¡No vengas con trolas!

Estaban junto al chiringuito que ponían todos los veranos en la plaza del barrio. Servían helados y refrescos allí mismo, en el mostrador, o en mesitas plegables que recogían por las noches.

Los chicos no se sentaban nunca. Resultaba demasiado caro. Compraban, eso sí, helados de cucurucho. Uno de los más sencillos entre los que aparecían pintados a todo color en un gran cartel.

En esos momentos no les prestaban atención. Y eso que junto a uno de ellos aparecía la palabra NUEVO, enmarcada por tres signos de admiración.

—¡A ver! —dijo Blanca—. ¿A que no lo enseñas?

—¡Sí! ¡Que lo enseñe! —apoyó Alba con firmeza.

Jorge sonreía, disfrutando de la situación.

—¿No os basta mi palabra?

Alfonso se agachó para atarse el cordón de una zapatilla.

—No es que no te creamos —dijo desde abajo—, pero comprende que...

—... que una cosa así no pasa todos los días —concluyó Blanca.

—Desde luego que no —dijo Jorge, cada vez más satisfecho—. Yo es el primero que recibo en mi vida.

Introdujo dos dedos en el bolsillo de su camisa y sacó un papelito azul claro. Lo desplegó parsimoniosamente y luego, sujetándolo con ambas manos, lo mantuvo frente a los ojos de sus amigos.

Sin salir de su estupor, leyeron:

Señor Jorge Ramos Trías. Potosí 132. Madrid. España. Llega 1 de agosto STOP Iberia vuelo 412 STOP Antonio.

Tuvieron que aceptar la evidencia. El abuelo de Argentina le había mandado un telegrama a Jorge. Y aun admitiendo un hecho tan extraordinario, quedaban otras cosas que aclarar.

—¿Por qué viene en autoestop? —quiso saber Alba—. ¿No es demasiado lejos para venir así?

Alfonso explicó:

—*Stop:* punto, en el lenguaje de los telegramas.

—¡Ah! Ya decía yo que con tanta agua de por medio...

Blanca también tenía algo que preguntar:

—¿No hubiera sido más normal que se lo mandara a tu madre y no a ti?

Jorge doblaba de nuevo el papel.

—Le escribí yo, no mi madre.

—Pero ella se pondría contenta con la noticia, ¿no?

—Creo que sí —dijo Jorge metiendo el telegrama en el bolsillo—. Aunque lo primero que hizo fue llorar. Ya sabes. Uno puede reírse o llorar cuando está contento.

—Y cuando está triste —dijo Alba.

—No —corrigió su hermana—. Cuando uno está triste, llora solamente. No se ríe.

A Alfonso le intrigaba otra cosa:

—*Señor*. Ha puesto *Señor Jorge Ramos Trías*. ¿Será una guasa?

También a Jorge le había chocado, pero no quiso reconocerlo.

—Será costumbre allá... O cosas de correos.

—Sí, pero *señor* a un chico...

Echaron una ojeada al cartel de los helados. El ¡¡¡NUEVO!!! era impresionante. Una copa de chocolate, vainilla y nata, con caramelo por encima y trocitos de piña mezclados con pistachos. Se llamaba HAWAIANO.

La cifra del precio, al lado, hizo comprender a los chicos que no podían ni soñar con comprarse uno. Estaban a viernes y la paga semanal se había agotado.

Pensando que era inútil seguir fabricando jugos gástricos a la vista de tales delicias, se alejaron. En la esquina, junto al semáforo, a Alfonso se le desató de nuevo la zapatilla.

Al volverse a incorporar, preguntó:

—¿Lo vais a esperar al aeropuerto?

—Sí. Papá ha pedido permiso en el trabajo para llevarnos en el coche. Mamá también conduce, pero dice que ese día va a estar demasiado nerviosa.

—Vendrá vestido de invierno —comentó Blanca.

—¿Estás loca? ¿Con este calor?

—En Buenos Aires, ahora, hace un frío que pela —dijo ella, recordando el asunto de los hemisferios.

—Es verdad. Estoy leyendo un libro sobre Argentina, para enterarme y poder hablar con él.

A Alfonso se le volvió a desatar la zapatilla, siempre la misma. Harto ya, además del lazo corriente hizo dos nudos encima.

Luego, en tono de broma, dijo:

—A lo mejor te trae un bandoneón.

—¿Qué es eso? —preguntó Blanca.

—Un instrumento parecido al acordeón, pero que se apoya en las rodillas —explicó Jorge. Evidentemente, la lectura del libro le estaba proporcionando una amplia cultura.

—¿Te gustaría?

El chico lo pensó un momento.

—Un bandoneón no te digo; pero unas boleadoras, sí.

Esa noche, Alfonso miró en el diccionario:

«*Boleadoras:* instrumento usado por los indios de América del Sur y después por los gauchos. Consiste en dos o tres bolas de piedra sujetas con cuerdas y se utiliza para apresar animales arrojándoselo a las patas o el cuello».

8 Aeropuerto

JORGE ayudó a sus padres a arreglar la habitación para el abuelo. Estaba junto a la cocina y, por eso, desde la ventana se veía el mismo álamo.

Tenía una cama cubierta con una funda, para que pareciera un sofá; un armario de luna con una puerta que cerraba mal; una mesa camilla; una mecedora.

Margarita solía trabajar allí, aunque también la usaban, como en esta ocasión, si venía algún huésped.

Se llevaron al cuarto de estar la máquina de escribir, los diccionarios, los papeles.

Jorge tenía una duda:

—¿Estáis seguros de que va a vivir aquí?

Sus padres cambiaron una mirada. Todo lo

que sabían sobre el viaje de Antonio era lo que decía el telegrama. Y era bien poco.

—Espero —contestó ella, y después de una última mirada al cuarto, como si echara en falta algo, colocó sobre la camilla una begonia que empezaba a florecer.

El avión, según les habían informado, llegaba a las once y media de la mañana. Esperando en el aeropuerto, el único tranquilo era Julio. Margarita no paraba de ponerse y quitarse unas gafas oscuras que raramente llevaba, y Jorge miraba su reloj de pulsera a cada instante.

Total, para nada. Parecía que algún duende burlón hubiera clavado las agujas en la esfera.

A Jorge le hubiera gustado pegarse una carrera por aquel suelo tan liso, tan brillante, y dejarse deslizar después, como en monopatín; pero tuvo la impresión —acertada— de que a su madre no le iba a gustar.

Por fin, una señorita de voz melosa anunció por los altavoces la llegada del vuelo 412, procedente de Buenos Aires.

Hubo un pequeño revuelo entre la gente que aguardaba y algunos se acercaron más a la puerta de la sala de equipajes.

Tuvieron que esperar otro buen rato hasta

que se abriera por primera vez, dando paso a una pareja con dos niños pequeños.

A Jorge únicamente le interesaban los hombres solos de edad madura.

¿Sería su abuelo ese del bigote finito y el sombrero de paja?

No. En la fotografía, Antonio era mucho más alto. Aunque quién sabe... Dicen que con el tiempo la gente encoge.

¿O sería aquel cargado de paquetes de aspecto lujoso, que se había detenido mirando a un lado y a otro?

Jorge miró a su madre. Buscaba una pista en su expresión. Ella no se alteraba ante la presencia del hombre de los paquetes. Lástima. Ahí dentro debía de llevar regalos estupendos.

De pronto, Margarita se puso las gafas. Eran de sol, no para ver mejor. Se las ponía en un ademán de defensa, como si no quisiera ser reconocida de inmediato.

El que acababa de salir de la sala de equipajes era un hombre alto, muy delgado, con los ojos algo oblicuos sombreados por unas cejas espesas y oscuras. Destacaban más porque la cabeza, exceptuando una corona de pelo canoso que iba de una a otra oreja, pasando por la nuca, estaba completamente calva.

Jorge sintió que su madre le apretaba fuerte la mano. Entonces no le quedó ninguna duda de que aquél era su abuelo. Y le gustó que fuera capaz de mostrar su calva así, valientemente, en lugar de pretender disimularla con una cortinilla de pelos trabajosamente colocados uno junto a otro.

Antonio, que ya había localizado a su hija, avanzó despacio.

Llevaba un traje ligero, de cuadritos blancos y azules, y una maleta mediana. Si lo de la transmisión del pensamiento fuera verdad, se dijo Jorge, allí traería las boleadoras.

Margarita se quitó las gafas antes de unirse a su padre en un largo abrazo. Luego, el abuelo estrechó la mano de Julio, que se había quedado un poco atrás, y por último se fijó en Jorge.

—Éste es el pibe, ¿no?

Al aludido le hizo gracia la palabra. Ya la conocía. Se la había oído al vendedor de periódicos del barrio, que era argentino y chupaba mate a todas horas.

Después de eso, un beso rápido. Tampoco en el trayecto de vuelta se habló mucho. Julio

hizo algunas preguntas sobre el viaje, que Antonio contestó escuetamente.

Margarita iba callada. Ella y su padre necesitaban tiempo para acostumbrarse a estar juntos de nuevo, para olvidar algunas cosas y alegrarse de las que ahora los unían.

Una vez en la casa, Jorge dijo:

—Te enseño tu cuarto, abu...

—Llámame Antonio —cortó él.

El hombre puso la maleta sobre la cama y la abrió. Jorge echó un vistazo curioso a su interior.

Muchos libros. Ropa, poca; toda de colores claros, que no suelen llevar las personas mayores. Y de boleadoras, nada.

Sobreponiéndose a la decepción y mientras el abuelo colocaba sus cosas en el armario, intentó entablar un diálogo.

—Te gusta leer, ¿eh?

—Sí. ¿Y a ti?

—Según.

—¿Cómo según?

—Si el libro es un tostón, prefiero montar en bici o jugar al fútbol.

Jorge cogió una corbata verde que sobresalía de la maleta y se puso a enrollarla maquinalmente.

Como Antonio volvía al mutismo, que parecía ser una de sus características principales, insistió:

—Y además de leer, ¿qué te gusta?

—Escribir. Soy periodista... —y añadió de mala gana—: Era. Ahora estoy jubilado.

—¿Has escrito alguna novela? —preguntó ilusionado el chico.

—Empecé una hace tiempo.

—¿De aventuras?

—Ciencia ficción. Pero nunca la pude terminar.

—¿Y no haces nada más?

Antonio lo miró, extrañado. Sus ojos penetrantes, bajo aquella selva de cejas erizadas, causaban bastante impresión.

—No.

Jorge enrolló la corbata de nuevo. Esta vez, apretando más. Tanto esperar que su abuelo viniera para no ser menos que sus amigos, y tener que decirles ahora: «Sólo sabe leer y escribir». Qué fracaso.

Antonio colgaba una camisa color rosa. Con su aire distante, como si verdaderamente no le interesara la respuesta, dijo:

—¿Por qué me lo preguntas?

—Porque... porque...

La corbata, en las manos de Jorge, era una ensaimada verde.

—Porque... yo tengo amigos, ¿sabes?

—Me lo imagino.

—Y ellos tienen abuelos. Algunos, hasta dos por cabeza. Pero lo mejor es que saben hacer cosas.

—¿Ah, sí? ¿Qué cosas?

—Pajaritas de papel, barcos en botellas, cometas...

Antonio declaró, sin lamentarlo:

—Yo no sé hacer nada de eso.

El chico no perdía la esperanza.

—¿Y jugar al fútbol? ¿Al ajedrez?

El abuelo negaba con la cabeza.

—¿Guisar? ¿Dibujar? ¿Hacer pompas de jabón? ¿Montar a caballo?

Se le había ocurrido de pronto porque en su libro sobre Argentina se decía que allá era un deporte muy corriente.

Nueva negativa. Jorge se sentía como si le hubiera caído encima una cornisa.

—Para ti —dijo Antonio tendiéndole un libro. En la tapa se veía un personaje de gesto ceñudo y extraña vestimenta.

Jorge dio las gracias con escaso entusiasmo y dejó la corbata en el respaldo de la mecedora. Después del tratamiento a que la habían sometido sus nervios, permanecía encogida sobre sí misma, como un muelle viejo. Necesitaría muchas pasadas de plancha para recuperar su forma original.

9 Cometa

ANDUVO varios días esquivando a sus amigos. No fue al parque ni a la plaza y, cuando Alfonso llamó, le dijo precipitadamente:

—Ahora no puedo hablar. Mi padre necesita el teléfono.

Y colgó.

Sabía que iban a preguntarle por su abuelo. ¿Y cómo contarles la verdad? Acabarían por enterarse, era inevitable; pero cuanto más tarde, mejor.

Hasta que llamó Blanca.

—¿Qué te pasa? ¿Estás aprendiendo a tocar el bandoneón?

Jorge contestó algo confuso. Era igual. Ella continuaba:

—El abuelo Ramiro está terminando una cometa. Dentro de un rato la vamos a remontar al parque. Si te apetece, ven a casa después de comer.

La tentación era demasiado grande. Además, estaba aburrido de esconderse.

Cuando lo vieron llegar, le preguntaron:

—¿Vino por fin tu abuelo?

—¿Qué te ha traído de regalo?

—¿Es simpático?

Preguntas difíciles de contestar. Especialmente la última.

Antonio, con su aire distante, su mirada profunda, su manera de hablar grave y lacónica, no era lo que puede entenderse por simpático.

Pudo omitir la respuesta porque, afortunadamente, Ramiro se dirigía a él con la sonrisa que siempre tenía a punto.

—¿Te gusta?

Le enseñaba la cometa, donde, como toque final, estaba pintando un nombre: BLANCA. Era muy grande, de papel fino azul celeste y con una cola larguísima hecha de tiras de trapo rojo.

—Mucho —dijo el chico, sincero.

—Es mía —exclamó Blanca, paseando sobre los otros un gesto de orgullo.

—A mí también me va a hacer una con mi nombre, ¿verdad abuelo? —dijo Alba.

Ramiro contestó mojando el pincel en pintura negra.

—Sí.

—Igual de grande, ¿eh?

—Igual.

Alba se lo pensó mejor.

—No, más grande.

—Igual —repitió Ramiro pacientemente.

—Bueno, pero yo la quiero azul fuerte.

—De acuerdo.

Alfonso insistió:

—Di, Jorge, ¿qué te ha traído tu abuelo?

—Un libro en verso —contestó, deseando que nadie lo entendiera.

—¿En verso? —Alfonso había entendido perfectamente y mostraba una expresión donde se mezclaban la piedad y el horror—. ¿Y cómo se llama?

—Martín Fierro.

—¿Es de miedo? —se ilusionó Blanca.

—No. Es de un gaucho que se mete en muchos líos.

Ramiro dejó el pincel, terminada su tarea, en un frasco con agua.

—Y que estima la libertad por encima de

todo —dijo—. Una gran obra. La leí cuando era joven.

—Sí —afirmó Jorge, aunque no había pasado de la página tres, y para aumentar el mérito del obsequio, añadió—: Además, tiene muchos dibujos.

Entre los cuatro chicos levantaron la cometa y la llevaron así, sobre sus cabezas y arrastrando la cola por la acera, hasta el parque.

La gente se paraba haciendo comentarios sobre su gran tamaño y lo difícil que debía de ser elevarla en el aire.

Blanca escogió una zona sin árboles que pudieran impedir la operación. Con hábiles movimientos de muñeca y sujetando o reteniendo el hilo, según indicaciones de Ramiro, consiguió que despegara del suelo poco a poco hasta que su nombre pintado en negro dejó de distinguirse.

Hubo aplausos, más comentarios admirativos. El viento se estaba portando bien y la propia cometa fue apenas un punto con una débil prolongación, una coma entre las nubes.

Una voz, a sus espaldas, dijo:

—Lindo barrilete, ¿no?

Jorge la reconoció enseguida. Poniéndose colorado, presentó:

—Mi abu... Antonio. Blanca y Alba, son hermanas..., y Alfonso. Mis amigos.

—¿El que vino de Argentina? —preguntó Alba.

—Claro —contestó Alfonso—. Por eso llama a la cometa de esa forma tan rara.

Indicando el minúsculo signo de puntuación que coleaba allá arriba, Blanca explicó:

—La hizo mi abuelo.

—¡Ah, sí! —repuso Antonio—. Ya me dijo Jorge que tenéis abuelos muy habilidosos.

—¿Tú no sabes hacer cometas?

—No. Soy bastante inútil. En toda mi vida no he hecho más que leer, escribir y viajar.

Viajar. Había dicho viajar. La palabra sonó como música celestial en los oídos de Jorge. Quizá no estuviera todo perdido aún.

—¿Has viajado mucho?

—Mucho.

Las Chiuchí y Alfonso también pensaban en las emocionantes posibilidades que encerraba esa afirmación.

—¿Fuiste a la selva?

—¿Y al polo?

—¿Subiste al Himalaya?

—¿Bajaste al fondo del mar?

Antonio callaba. Miró a su nieto, que pedía con gesto anhelante:

—Cuéntanos, anda.

Y después de una larga pausa, accedió.

—De acuerdo. El lunes.

Faltaban tres días.

—¿Y por qué hoy no?

—El lunes —repitió Antonio con firmeza.

Jorge no se atrevió a replicar. De todos modos, estaba contento. Empezaba a entrever que, con un poco de suerte, él también podría presumir de abuelo.

10 Misterios

LA realidad superó con mucho las ilusiones de Jorge. Reunidos en una glorieta del parque al caer la tarde, cuando aflojaba el calor, Antonio empezó a relatar sus aventuras.

No se había limitado a viajar. En su calidad de reportero, había tenido que participar en guerrillas, búsquedas de personas desaparecidas, expediciones científicas y hasta en el rescate de un galeón que se hundió en el Pacífico cargado de tesoros.

Hablaba sin precipitarse, haciendo frecuentes pausas para precisar mejor, seguramente, sus recuerdos. Pronunciaba las ces y las zetas con suave silbido de ese, intercalando a veces términos habituales en Argentina, pero que llamaban la atención a los chicos.

Conteniendo la respiración, escucharon

cómo fue encontrado el hombre salvaje del Amazonas.

—Se sabía de su existencia desde mucho tiempo atrás. Íbamos siguiendo esos indicios en medio de un calor y una humedad sofocantes. De vez en cuando caía una lluvia tan fuerte como un torrente. Nos guarecíamos bajo las imbabuas...

—Las ¿qué? —interrumpió Alfonso, apuntando la palabra en su memoria.

—Imbabuas. Unos árboles en forma de paraguas con grandes hojas plateadas. Al llegar a la confluencia del río Amazonas con el Putumayo, donde el hombre salvaje había sido visto por última vez, descubrimos sus huellas. Ese rastro nos llevó hasta el gigantesco árbol de tronco hueco que le servía de cobijo.

—¿Era un hombre normal, como todos? —preguntó Jorge.

—Tanto como normal... Fue a parar a la selva recién nacido, nunca se supo de qué manera, y lo criaron las fieras.

—¡Igual que a Tarzán! —exclamó Blanca—. ¿También era guapo y saltaba entre los árboles agarrado a las lianas?

Antonio estiró sus largas piernas y cruzó una sobre otra, cuidando la raya del pantalón.

—No. Era peludo y maloliente, andaba a cuatro patas y pegaba bocados al que se le ponía a tiro.

Otro día fue la historia del fabuloso rubí de Ceilán, una piedra del tamaño de un huevo de avestruz, que fue robada al rey de Kardalahr.

—Después de laboriosas investigaciones, se supo que estaba en poder de una banda que tenía su guarida en las costas de Jamaica. Yo acompañé al grupo policial encargado de su captura. En ese momento se produjo un tiroteo y una bala me alcanzó aquí.

Los chicos se acercaron para apreciar bien la rayita blanquecina que aparecía bajo su oreja derecha.

—Por poco te matan... —dijo Jorge, impresionado.

Blanca, que disfrutaba más cuanto más terrible era el relato, preguntó qué les había pasado.

—Salieron huyendo para refugiarse en lo alto de un acantilado. Allí la policía los acorraló durante varios días. Sitiados, sin comida ni agua, intentaron huir arrojándose al mar.

—¿Y lo consiguieron?

Antonio hizo un gesto pesimista.

—El acantilado medía ciento cincuenta metros de altura y el mar estaba infestado de tiburones. Así que...

Los chicos se estremecieron. Eso, junto a la expectación inicial, era lo mejor del programa.

Jorge estaba encantado. Nunca había oído hablar tanto y tan seguido a su abuelo. Y aunque en casa permanecía largas horas encerrado en su cuarto y, al salir, no se mostraba dispuesto a contestar preguntas, sus relatos le habían ganado la admiración general.

Pero ninguno como el del viaje interespacial. La tarde en que empezó fue inolvidable también por otro motivo: en vez de ir al parque, Antonio los llevó a la plaza y los invitó a un helado.

Sentados alrededor de una de las mesas plegables, pintadas de blanco, pidieron —¡cómo no!— un *hawaiano* cada uno. Era la nueva variedad que aún no habían tenido ocasión de probar.

Antonio se unió a la petición y, al verlo llegar, dijo, indicando los trocitos de fruta que coronaban el penacho de caramelo:

—¡Ananá!

—Piña —tradujo Jorge.

Cuando ya no quedaba en las copas más que un rastro lechoso y multicolor, Antonio explicó que la prensa debe estar en todos los sitios para informar al público. Hasta en la Luna.

—¿Tú has ido a la Luna? —preguntó Jorge, limpiándose la boca con una servilleta de papel.

—Con la expedición del profesor Roskoff —asintió su abuelo.

—¿Es verdad que allá no hay vida?

—Animales, plantas, personas, no..., pero cierta forma de vida sí que hay.

—¿En serio?

—Como te digo, nomás. El profesor Roskoff y yo caminábamos por aquella superficie llena de cráteres. El resto de la expedición iba delante, bastante lejos de nosotros. De pronto, el profesor se inclinó y vi que recogía algo del fondo poco profundo de uno de aquellos agujeros. Me enseñó, en la palma de su mano, dos bolitas grisáceas, del tamaño de las avellanas. Dijo que las estudiaría para saber qué eran en realidad.

—¿No has dicho que eran avellanas? —preguntó Alba, que había perdido el hilo de la narración siguiendo el vuelo de una mosca tan despistada como ella.

—¡Que no te enteras! —protestó su hermana.

—Tiempo después de regresar a la Tierra —continuaba Antonio—, Roskoff me llamó con mucho misterio. Fui a su casa y... —bajó el tono para advertir—: Esto que os voy a confiar no lo sabíamos más que él y yo. Ahora, también vosotros, pero recordad que se trata de un importantísimo secreto.

Los chicos adelantaron las cabezas sobre la mesa, sin parpadear, para no perder palabra.

—Cuando llegué a su casa, encontré al profesor muy nervioso. Antes de decir nada, se aseguró de que las puertas estaban bien cerradas. Miró por la ventana y echó unas pesadas cortinas de terciopelo oscuro. Luego dijo con voz alterada por la emoción: «¿Recuerda las semillas que encontré en el cráter de la Luna?». Yo, la verdad, no había vuelto a pensar en aquello. Él continuó: «Bien... No sé si debo seguir llamándolas así o de otro modo. Lo único que sé es que ¡están vivas!».

Alba estornudó y los chicos le dirigieron un furioso siseo.

Antonio no hizo caso de la interrupción.

—Roskoff me enseñó un frasco lleno de un líquido marrón y dijo: «Me costó mucho descubrir la combinación de elementos adecuados, pero al fin conseguí que una de ellas empezara a desarrollarse. Ignoro todavía si eso que crece en mi laboratorio será un animal, un vegetal o un monstruo desconocido. Por eso no puedo aún comunicar al mundo mi descubrimiento. Si lo he llamado a usted y le cuento todo esto, es para que conserve, digamos..., la otra semilla. Guárdela tal como está. Pero en caso de que yo o ese extraño ser que he hecho vivir desapareciéramos, deberá sumergirla en este frasco». Me dio también una cajita donde estaba la semilla y luego se sentó en un sillón, pálido y jadeante. Le pregunté si se sentía mal. Por toda respuesta me dio a leer una carta anónima. En pocas palabras, lo amenazaban de muerte si continuaba con sus experimentos.

—¿Y quién se la mandaba? —preguntó Alba muy interesada.

—Nadie —contestó Alfonso.

—¿Cómo nadie? En todas las cartas, al final, se pone un nombre.

—¿No has oído que era una carta anónima? Quiere decir sin firma.

—¿Y mataron por fin al profesor? —preguntó Blanca, dispuesta a escuchar lo peor.

Antonio hizo una de sus larguísimas pausas.

—Nunca se supo si su muerte, que se produjo dos meses más tarde, fue natural o no. La rodearon unas circunstancias muy extrañas.

—¿Y tú que crees?

—Que los que escribieron la carta cumplieron su amenaza. En el laboratorio tampoco se encontró la singular criatura que el profesor mencionó en su conversación conmigo.

—¿No se habría inventado toda esa historia para hacerse el interesante? —desconfió Alfonso, tan aficionado como era, precisamente, a hacerse el interesante.

Los otros lo mandaron callar con un siseo más autoritario aún que el anterior. Todavía les faltaba por conocer la parte más sensacional de la narración.

—¿Qué pasó con la semilla que te dio el profesor?

Antonio hizo una pausa más larga que todas las conocidas hasta el momento. Levantó la cabeza y miró el trozo de cielo que los árboles de la plaza dejaban al descubierto.

—Al conocer la noticia de la desaparición de Roskoff, me sentí obligado a cumplir sus deseos. Sumergí la semilla en el líquido marrón, y al cabo de unos días empezaron a brotar...

—¡Los cotiledones! —exclamó Alba, que era aficionada a la botánica—. Es lo primero que sale.

—Algo así pensé yo, aunque más adelante tuve que cambiar de idea. En el lado opuesto aparecieron dos más... Y no tenían forma de hoja, sino...

Los oyentes estaban pendientes de sus palabras.

—Eran... unas protuberancias cilíndricas, de una materia desconocida, que crecían a velocidad alarmante.

Blanca, encantada de que apareciera en el relato algo verdaderamente horrible, dijo:

—Entonces... ¡era un monstruo!

Antonio miró al cielo de nuevo. Gruesos nubarrones lo oscurecían por momentos.

A los chicos eso no les preocupaba nada. Preguntaron al tiempo:

—¿Muerde?

—¿Dónde está?

—¿Lo has traído contigo?

—¿Nos lo enseñarás?

Unas gotas grandes y pesadas golpeaban la mesita, mezclándose en las copas con los mínimos restos del *hawaiano*.

El abuelo se levantó ágilmente diciendo:

—¡Qué macana! Tenemos que irnos.

Los chicos lo siguieron de mal humor. Era una pena tener que interrumpir la reunión cuando estaba en el punto más apasionante.

Se refugiaron en un portal esperando que la tormenta amainara un poco.

—¿Por qué no seguimos en casa? —propuso Jorge.

—No. Mañana.

Si Antonio decía que no, era imposible hacerle cambiar de opinión. Era un hombre raro, había que admitirlo. Pero como abuelo lucido, de lo mejor.

11 Investigación

AL día siguiente, antes de la hora habitual, las hermanas y Alfonso se dirigieron a casa de Jorge. Estaban ansiosos por conocer el final de la historia que la dichosa lluvia había interrumpido.

Se dieron cuenta de que algo malo ocurría cuando vieron a su amigo junto al portal, con el ceño fruncido, las manos en los bolsillos y pateando nerviosamente un cascote.

—El abuelo no está —les soltó de repente, y subrayó la desagradable noticia con un golpe más fuerte al imaginario balón. Si llega a hacerlo en un partido, gol seguro.

—¿Dónde ha ido? —preguntó Alfonso aunque, en realidad, daba lo mismo.

—Al centro. A comprar unas cosas para llevarse a Buenos Aires.

—¿Ya se marcha?

—Mañana.

Se sentaron en el borde de la acera rumiando su desgracia. En esos momentos, y en su opinión, quedarse sin saber cómo terminaba el misterio del profesor Roskoff era lo peor que les podía suceder.

Al cabo de un rato, Blanca dijo:

—Tú, que vives en la misma casa... ¿no has visto nada sospechoso en el cuarto de tu abuelo?

—No. No quiere que nadie entre. Ni siquiera para regar la begonia.

—¿Qué begonia?

—Una que le puso mi madre y que debe de estar pachucha del todo.

—¿Y por qué no quiere que entres?

Jorge se encogió de hombros.

—Tampoco sé qué hace encerrado ahí todas las mañanas.

—¿Desde que vino?

—No. Desde hace unos días.

Hubo un silencio poblado de las más variadas suposiciones.

Blanca expuso la suya, que era, naturalmente, de carácter tremebundo:

—Estará amaestrando al monstruo.

84

—Él no dijo que tuviera un monstruo —arguyó Jorge.

—Lo dio a entender. Y si lo tiene, no se lo iba a dejar en su casa de Buenos Aires. ¿Te imaginas lo que sería si muerde a alguien?

—O si se lo come... —murmuró Alba.

—También puede ser —continuó imaginando su hermana— que esconda otra cosa. Algo que no le conviene que se descubra. Por eso nos habló del monstruo: para meternos miedo y que no entremos en su cuarto.

Hizo una pausa antes de ponerse en pie y decidir:

—Pero ¡entraremos!

Alba no era tan valiente.

—¿Y si Antonio nos descubre?

—No creo —dijo Jorge—. Se marchó hace poco, y con lo mal que anda la circulación...

—¿Y tus padres?

—Están en una junta de vecinos. Un latazo larguísimo.

—Otra oportunidad como ésta no vamos a tener —insistió Blanca.

Alfonso sacó del bolsillo un bolígrafo y una libreta. Arrancó una hoja, la dividió en cuatro trozos y escribió un número en cada uno de ellos. Luego hizo otras tantas bolitas.

—Subiremos según el número que nos toque.

—¿Por qué no subimos todos juntos? —sugirió Alba con voz temblona.

—No. Los demás tienen que quedarse aquí, vigilando. Si viene alguien, lo entretenemos y otro sube a avisar.

El número uno le tocó a Alfonso. El dos y el tres, a las chicas. Jorge subiría el último. Le había tocado el cuatro.

Alfonso, a pesar de ser el primero, seguía sentado, haciendo nudos en el cordón de su zapatilla. Y eso que no la tenía desatada.

—¿Qué esperas? —le dijo Blanca.

Él refunfuñó algo en voz tan baja que no se pudo entender.

—¿Qué?

—Que no me parece bien meternos así, a escondidas, en el cuarto de otra persona —repitió más fuerte.

—¿Ahora sales con esas?

—Lo acabo de pensar. Es de mala educación. A mí tampoco me gustaría que...

No pudo seguir. Tres pares de manos lo izaron empujándolo hacia el interior del portal.

El piso estaba en la tercera planta. Alfonso

volvió hacia sus amigos una cara desencajada y desapareció escaleras arriba.

Las hermanas Chiuchí entretuvieron la espera y el nerviosismo jugando al tres en raya. Dibujaron el tablero con un palo en la tierra del jardinillo y, como fichas, utilizaron piedras.

Mientras tanto, Jorge se paseaba de una a otra esquina, por si aparecía algún peligro.

Corrieron al encuentro de Alfonso en cuanto salió del portal.

—¿Lo has visto?

—¿Cómo es?

—¿Te ha querido morder?

El chico contestó dándose mucha importancia:

—Sí, lo he visto. Es... es gelatinoso.

—¿De qué color?

—Rosa..., me parece. No he encendido la luz para que no se viera desde fuera.

—¿Y dónde estaba?

—En el armario. Cuando me he acercado, ha soltado un gruñido impresionante.

—¿Te ha atacado?

—Ha querido agarrarme con uno de sus tentáculos... Lo he sentido perfectamente.

—¿Cuántos tenía?

—Cuatro... No, seis. Como estaba medio a oscuras...

—¿Y qué has hecho?

—Le he gritado: «¡No tocar!».

—¿Y...?

—Se ha metido de nuevo en el armario.

Blanca estaba decepcionada.

—Un monstruo que no hace nada y de color rosa... ¡Bah!

Su hermana, que había escuchado con mucha atención, anunció:

—Yo no voy.

—¿Cómo que no vas? ¿Tienes miedo?

—Claro que tiene miedo —dijo Alfonso con aire de superioridad—. Si no tuviera miedo, iría.

Blanca la aferró de la mano.

—Y vamos a ir. No somos menos valientes que vosotros.

Una tirando de la otra, se dirigieron a la escalera. Los chicos las oyeron decir todavía:

—Blanca..., ¿y si nos muerde?

—A Alfonso no lo ha mordido.

—¿Y si le da por cambiar de costumbre?

Tardaron menos en bajar. Venían pálidas, pero fueron capaces de dar una buena información.

—Es rosa, con la cabeza llena de pelos negros —dijo Alba.

—Alfonso la miró estupefacto.

—¿Qué cabeza? ¡Si no tiene!

—Sí que tiene —afirmó Blanca—. Grande y cuadrada.

Alba no estaba de acuerdo.

—Te confundes. Es pequeña y redonda. Lo que tenía grande era el cuerpo.

—¿Había salido del armario? —preguntó Jorge.

—No. Estaba escondido dentro, soltando gemidos como los fantasmas —dijo Blanca.

Alba se extrañó.

—¿Dónde has oído tú gemir a un fantasma?

—En el cine.

—¡Ah!

—¿Le habéis visto los tentáculos? —preguntó Alfonso.

—Sí. Tiene siete —contestó Alba.

—Yo he contado ocho pares —dijo su hermana.

Jorge desconfiaba.

—¿Así, en tan poco tiempo y casi sin luz?

Blanca no se dignó responder, pero recordó:

—Ahora te toca a ti.

12 Boleadoras

Sí, era su turno. Y, curiosamente, no estaba asustado; aunque lo más probable era que el monstruo, al recibir la tercera visita, mostrara un humor de perros. O de monstruos, que es muchísimo peor.

Al llegar arriba, lo primero que hizo fue ir a su cuarto en busca de una linterna que le había regalado su padre. Ponía «Garaje Arizona» y le vendría muy bien en este caso tan especial.

La encendió para entrar en la habitación del abuelo. Un haz de luz débil, pero suficiente, iluminó la cama, la mecedora, la ventana.

Dio un paso atrás, sobresaltado. Allá al fondo se movía, amenazadora, una oscura silueta.

Sintiendo un pellizco en el estómago, la observó detenidamente. Era el álamo, que bamboleaba su alta copa al compás del viento.

Continuó la inspección. Sobre la mesa camilla, muchos libros apilados y la begonia, que necesitaba un riego urgente.

De nuevo se sobresaltó, esta vez con mayor motivo. Del armario, apenas a unos centímetros de distancia, salió un alarido como de alguien que se lamenta o se prepara para lanzarse sobre el enemigo.

Apagó la linterna para no ofrecer blanco al ataque y recordando, al mismo tiempo, que sus tres amigos habían coincidido en el dato: en ese lugar se ocultaba el monstruo.

Esperó acontecimientos sobreponiéndose a su inquietud. Entonces, frente a él, en una superficie plateada, vio dibujarse una figura.

Tardó en comprender que era la suya propia. Ahí estaba, con sus pantalones de pana, la camiseta con el nombre de su grupo favorito escrito en letras amarillas, su expresión recelosa y, en la mano, la linterna.

Se estaba reflejando en el espejo de la puerta del armario, esa que se abría sola y chirriando. Ya estaba explicado lo del sonido que sus amigos y él, un momento atrás, habían tomado por el gruñido de un extraño ser.

Pero el sensato razonamiento no descartaba la posibilidad de que, gruñendo o no, se ocultara efectivamente allí.

Empujó la puerta sin pensar y enseguida se arrepintió. Al monstruo no le gustaría nada que lo dejaran encerrado. Podía enfurecerse, derribar el frágil obstáculo y lanzarse sobre él con sus cuatro, siete o dieciséis tentáculos color rosa, listos para estrujarlo como a una naranja a la hora del desayuno.

El corazón de Jorge echó a correr cuando la puerta volvió a abrirse con un ruido característico. Poniéndose en guardia, tensó los músculos y encendió la linterna.

Esta vez el armario quedó abierto de par en par. En su interior, vagamente, se distinguía algo de color rosa.

Recurriendo a todo el valor que tenía más el que hubiera querido tener, estiró el brazo izquierdo y palpó esperando encontrar la siniestra masa gelatinosa.

Lo único que encontró de color rosa fue la camisa que Antonio, con sus gustos juveniles, se ponía a menudo.

Más tranquilo, continuó inspeccionando cada rincón del mueble. Ropa, corbatas, un cinturón, un poncho granate con flecos ne-

gros. Los mismos, sin duda, que Alba había tomado por los pelos del monstruo. De él, por cierto, no había ni sombra.

Jorge sonrió para sí. Y cuando iba a cerrar el armario, le llamó la atención algo que sobresalía bajo unos pijamas colocados en un estante.

Tiró y cayeron al suelo unas cuantas hojas de papel escritas a mano.

Sabía perfectamente que no se debe leer sin permiso algo que pertenece a otra persona; pero, al arrodillarse para recoger las páginas, le saltó a la vista un título en letras mayúsculas:

UN MONSTRUO EN EL ARMARIO

No pudo resistirse. Se sentó con las piernas cruzadas para estar más cómodo y buscó la hoja que tenía el número uno.

CAPÍTULO PRIMERO
EL ASOMBROSO DESCUBRIMIENTO DEL PROFESOR
ROSKOFF

Ya nada podía detenerlo. A la luz de la linterna, leyó:

«Todo estaba a punto para que la expedición partiera rumbo a la Luna. Nunca, en mi larga vida de reportero, me había encontrado ante un desafío tan apasionante como aquél. El verdadero objetivo del viaje al planeta que ya había sido visitado por el hombre era...»

El ruido de alguien que entraba en la habitación hizo que se volviera con la cara roja de vergüenza.

Antonio lo había cogido en falta. Estaba allí, quieto, clavándole la mirada y más serio que nunca.

Jorge recogió las hojas atropelladamente y se levantó tartamudeando:

—Yo y mis amigos..., mis amigos y yo... pensamos que..., bueno, queríamos ver... ver si...

—Tenía que haberlo imaginado. Basta que a los chicos se les diga que no hagan una cosa para que les entren más ganas de hacerla.

—Queríamos... ver al monstruo.

—¿Y lo habéis visto?

—Ellos, sí.

—¡Ah!

—Pero cada uno ha dicho que era de una manera diferente.

El hombre dio dos o tres zancadas. Su nieto

lo veía acercarse con aprensión; pero continuó andando hasta la ventana. Desde allí preguntó:

—¿Y tú? ¿Lo has visto también?

—No.

—¿Te daba miedo?

—No.

Antonio se sentó en la mecedora. Parecía
satisfecho al decir:

—Por eso no lo has visto.

Jorge no entendía. Se acercó un poco a su
abuelo y él explicó, con la cabeza vuelta hacia
el álamo bailarín:

—Es el miedo el que nos hace ver monstruos.

—¿A ti también? —preguntó incrédulo el
muchacho.

—¿Por qué te extraña?

—Yo creía que... que los mayores no tienen
miedo nunca de nada.

Antonio suspiró.

—¡Ojalá! Yo tenía miedo de que tu madre
me hubiera olvidado..., de no ser lo que tú
esperabas. Y no lo soy, ¿verdad?

—A mí lo que más me importaba era co-
nocerte.

La mecedora iba y venía suavemente.

—Sí..., pero también que supiera hacer algo bonito, como los abuelos de tus amigos. Y el miedo, ese monstruito, volvió a confundirme. En vez de contarte mi vida, que fue más bien sosa y aburrida, me inventé la historia del hombre salvaje, la del rubí de Ceilán y la del profesor Roskoff.

Jorge indicó el manojo de páginas que tenía en las manos.

—¿Ésta?

El abuelo volvió la cara para mirarlo y Jorge creyó notar que estaba tan colorado como se ponía él cuando algo le daba vergüenza.

—Sí. La novela que empecé hace tanto tiempo y que no fui capaz de terminar. Ahora la he escrito casi toda en unas cuantas mañanas, gracias a tus amigos y a ti, que queríais escucharla —hizo una pausa y añadió en voz baja—: No te dejaba entrar aquí para que no descubrieras que mis aventuras estaban sólo en mi imaginación.

Jorge dejó las páginas sobre la mesa.

—Bueno —dijo disculpándolo—. Antes de que se escribieran libros, la gente ya se contaba historias, ¿no? Lo malo es que ahora nos vamos a quedar sin saber cómo acaba la del profesor Roskoff.

100

—Os mandaré un ejemplar completo desde Buenos Aires —contestó Antonio firmemente—. ¡Esta vez la termino!

En la puerta de la habitación sonó un golpe. Y antes de que Jorge llegara a abrir, otro mucho más fuerte.

En el pasillo, alarmados, estaban las chicas y Alfonso.

—Teníamos que haberlo entretenido mientras te avisábamos —explicó Blanca—, pero ya sabes cómo es tu abuelo.

—Ha dicho: «Hola, pibes» —continuó Alfonso—, y ha seguido de largo.

—A mí se me ha ocurrido hacerme la desmayada para pararlo —dijo Alba—, pero era demasiado tarde.

Enseguida, se empinó para mirar el interior del cuarto por encima del hombro de Jorge.

En la semioscuridad, la silueta de Antonio se unía a la del álamo formando un conjunto fantasmagórico.

—¡El monstruo está sentado en la mecedora! —exclamó la chica—. ¡Y se balancea!

Con un tono arrogante que sus amigos admiraron sin reservas, Jorge dijo:

—No os preocupéis.

—¿De veras?

—Sí. Tranquilos.

—¿No te va a hacer nada malo?

—No. Podéis marcharos.

Aunque estaban estupefactos, los chicos comprendieron que, al menos en ese momento, no debían pedir explicaciones.

—De acuerdo —dijo Alfonso—, pero estaremos abajo un rato más, por si nos necesitas.

Jorge cerró la puerta. Antonio se levantó, encendió la luz y empezó a hacer su equipaje.

Para ayudar, el chico le alcanzó los libros.

—¿Volverás? —preguntó.

—Sí, seguro.

—¿Para quedarte?

—Lo estoy deseando. Y te traeré la segunda parte de *Martín Fierro*. ¿Qué te parece?

Ahora, Jorge procuraba doblar lo mejor posible la camisa rosa.

—Bien..., pero si además pudieras traerme unas boleadoras...

—¡Cómo no!

—Gracias, Antonio.

El hombre le dirigió una mirada profunda.

—Llámame abuelo.

Sus cabezas casi se rozaron cuando el chico se inclinó sobre la maleta abierta para guardar la camisa. Entonces Jorge se quedó observando la cicatriz blanquecina bajo la oreja derecha del hombre. La que, según él, le había quedado como recuerdo del tiroteo con los maleantes en las costas de Jamaica.

Al darse cuenta, el abuelo guiñó un ojo en un gesto divertido y amistoso.

—Me la hice al afeitarme.

En su cara, por primera vez desde que llegó, apareció una sonrisa franca, alegre, sin reservas, como la que mostraba en la vieja fotografía.

Jorge correspondió con otra sonrisa. No hacía falta compararlas frente al espejo para comprobar que eran iguales. Exactamente iguales.

Continuaron su tarea sintiéndose felices, seguros de que a partir de ahora ningún monstruo sería capaz de separarlos.

Índice

EL BARCO DE VAPOR

SERIE NARANJA (a partir de 9 años)

EL BARCO DE VAPOR

SERIE ROJA (a partir de 12 años)